DIVERSIÓN CON COLORES

AMARILLO

por Anna C. Peterson

TABLA DE CONTENIDO

PALABRAS A SABER

araña

autobús

banana

camisetas

pato

sombrero

AMARILLO

amarillo ┄┄▶

El amarillo es un color.

pato

El pato es amarillo.

sombrero·····▶

El sombrero es amarillo.

**El autobús
es amarillo.**

La banana es amarilla.

araña

La araña es amarilla.

Nuestras camisetas son amarillas.

¡REPASEMOS!

Mira alrededor tuyo. ¿Qué más es amarillo?

ÍNDICE